À toi Maman
et à tous les autres enfants d'hier et d'aujourd'hui,
victimes des guerres des grands.

L'auteur remercie la Communauté française pour son soutien.

Loi 49956 du 16 juillet 1949,
sur les publications destinées à la jeunesse.
Dépôt légal : mars 2012
ISBN 978-2-211-20724-9

Mise en pages : *Architexte*, Bruxelles
Photogravure : *Media Process*, Bruxelles
Imprimé en Italie par *Grafiche AZ*, Vérone

Akim court

Claude K. Dubois

Pastel
l'école des loisirs

Dans le village d'Akim, la guerre semble loin.
Akim joue tranquillement avec d'autres enfants et leurs petits
bateaux au bord de la rivière Kuma.
En fin d'après-midi, un bruit sourd et des tirs résonnent
dans le ciel. Les grondements deviennent puissants.

Dans le village d'Akim, les habitants se mettent à courir
dans tous les sens. Akim court comme les autres. Il veut rentrer
chez lui. Mais sa maison est détruite, il n'y a plus personne.
Akim crie ! Il s'accroche à la main d'un adulte qui tente de l'aider.
Mais l'homme court plus vite. Akim reste seul dans la foule.
Il a très peur. Il veut retrouver sa famille.

Akim se réfugie dans les restes d'une maison,
remplie de gens qu'il ne connaît pas.
Il cherche un visage : sa mère, sa sœur, ses amis.
En vain.
«Maman, Maman...», pleure Akim.
Une femme avec un bébé l'attire près de lui.
Elle le prend dans ses bras pour la nuit.

Il reste là 3 jours entiers.

Le matin du troisième jour, des soldats arrivent dans la maison.
Ils emmènent Akim et d'autres enfants.
Akim est prisonnier. Il a très peur et pense sans cesse à sa mère.
Il doit servir les soldats et aller chercher l'eau au puits.
Le soir, il reçoit un peu de riz à manger.

Un jour, des tirs de rockets retentissent dans le campement.
Les soldats sortent avec leurs armes.
Akim en profite pour s'enfuir.
Il court, il court.

Après des heures dans la montagne, il aperçoit un groupe
de gens qui fuient. Il court vers eux.
Une vieille femme lui tend la main. Elle a un petit dans les bras.
Ils marchent jusqu'à l'épuisement.

À la tombée de la nuit, ils arrivent près d'une rivière.
Celle de la frontière.
Un pêcheur les prend dans son bateau et les fait traverser.
Akim a froid dans la nuit.
Le matin, ils arrivent sur l'autre rive. Ils marchent encore
en direction du village de Mapam.

Sur la route, ils rencontrent un camion d'aide humanitaire
qui les recueille et les amène dans un camp de réfugiés.
On leur donne à manger et de quoi se laver un peu.
La nuit, ils ont un lit pour dormir.

Akim est en sécurité dans le camp.
Mais il pense sans cesse à sa famille et à tout ce qu'il a vu.
Il n'arrive pas à s'amuser avec les autres enfants.
Un médecin vient près de lui et lui parle.
Le soir, il écoute des contes des mille et une nuits avec les autres.

Akim pleure souvent sa famille et sa vie d'avant.
Mais un jour, le responsable du camp appelle Akim.

On a retrouvé sa maman...